더 사랑한 사람이 더 아프다

문영순 시집

더 사랑한 사람이 더 아프다

발   행 | 2024년 02월 19일
저   자 | 문영순
펴낸이 | 한건희
펴낸곳 | 주식회사 부크크
출판사등록 | 2014.07.15.(제2014-16호)
주   소 | 서울특별시 금천구 가산디지털1로 119 SK트윈타워 A동 305호
전   화 | 1670-8316
이메일 | info@bookk.co.kr

ISBN | 979-11-410-7187-5

www.bookk.co.kr
ⓒ 문영순 2024

더 사랑한 사람이 더 아프다

문영순 시집

글을 시작하면서

　사람은 만났다고 하는 순간부터 어쩌면 헤어지고 있는 것인지도 모릅니다. 우리가 태어나는 순간부터 죽음을 향해서 가는 것과 같은 질서를 따라서 그러는 것인지도. 그러나 어떤 헤어짐이든 다 아픔과 상처가 남는 법이라서 그 또한 남은 자의 몫이 되어 함께 살아가야 하는 것입니다. 버려졌다는 것은 더 아픈 기억이 되고, 어쩔 수 없었다고 말하는 것도 슬픔이 되는 것이 사람의 일이라 마음에 아무런 변화 없이 헤어질 수는 없습니다. 그래서 잊고서 없었던 기억으로 살 수 있었으면 하는 때가 있지만 안 되는 것은 사람의 기억과 생각의 시간 속에 찍혀진 흔적이 있어 우리는 얼마큼은 아플 수밖에는 없습니다. 지나고 또 지나고 그 기억이 아프다고 말하지 않을 때까지 나만이 아는 상처와 함께 자고 일어나는 반복이 있어야 하는 일임을 알았습니다. 이 책을 읽으시는 독자 여러분께서도 혹시 이런 상처로 인하여 아직 눈물 속에 있다면 이 글을 읽으시고 조금이나마 도움이 되셨으면 합니다.

저자 문영순

목차

■ 글을 시작하면서

■ 글을 마치면서

네 눈물만 눈물이고
내 눈물은 그냥 물이라고는
아무도 말하지 않았는데

너는 그랬어.
내 눈물은 흔해 빠진 물이고
네 눈물만 초라한 빗물이라고

1. 네가 나를 버렸지

너만 그랬니
나도 그랬어.
네 눈물만 눈물이고
내 눈물은 그냥 물이라고는
아무도 말하지 않았는데

너는 그랬어.
내 눈물은 흔해 빠진 물이고
네 눈물만 초라한 빗물이라고

그러면서 갔지.
쳐다보는 것도 싫다는데
어떻게 내가 너를 잡을 수 있었겠니,
차마 그 이름을 부를 수도 없는
죄인 같은 내 모습으로 말이야.

너에게는 내가 죄인이지만
나를 낳은 여인에게는 아픈 눈물인데
너는 나를 몹쓸 인간이라 버렸지.

나는 세상에서 나를

다시는 안 버릴 사람을 찾아서
이 고단한 다리와 무거운 눈꺼풀을 쉬어야겠다.

가만히 있어도
네가 있어서 행복할 수 있다고
말해 주는 그런 사람이 있으면
나는 거기로 가서 영원한 쉼을 얻어야겠다.

빨리 가야겠다.
그래서 너에게 버림받은 이 기억을
더 빨리 잊어야겠다.
나도 너처럼 살길을 찾아야지 않겠니.

너의 기억으로부터 내가 지워지는 것보다는
내가 너를 기억하지 않으며 사는 법을
찾을 수만 있다면 너를 미워하지 않을 수 있을 테니까.

2. 이제 와서 왜 그러나

내가 너를 필요로 할 때는
뿌리치고 가서 오지 않더니
눈이 빠지도록 그리움을 그 눈에 담으면서
내가 그렇게 살아서 컸는데,

너의 필요를 잊기로 했는데
왜 이때에 와서 이러는 거야.
나도 네가 귀찮아진 지금에서야
너를 그리워했다고, 한 번도 잊은 적은 없다고
그 뻔뻔한 말을 왜 하는 거야.

그 말이 칼보다 피가 많이 나고
총보다 더 깊숙이 박히는
세상에도 여지껏 있어 보지 않은
아픈 고통인 것을 네가 아니.

나도 너 필요 없다.
기다릴 때 그 중간에라도 와서
나에게 말해 주지 그랬어.

이제는 너 없어도 밥을 먹을 수 있고

스스로 살아낼 자생력이 생겼는데
와서 네 거짓과 위선이 범벅인 입술로
내게 무슨 말을 해서 아픈 내 마음에
또다시 왜 상처를 후비는지 모르겠다.

너는 그런 사람이었구나,
내가 그토록 울면서 그리워하던 너는
이런 사람이었구나,
그때에 내가 알았으면 눈을 감고
기다리는 그리움에 아파하지 않았을 것을

더 이상 상처 주지 말고 가라.
나 보기 싫고, 네 앞길에 걸린다고
막대기처럼, 돌멩이처럼 발로 차서 버리더니
그 얼굴로 되돌아와서, 그런 말로 다시
내 가슴을 찢으려고 갔구나.
나도 너 필요치 않은 것을 어쩌냐.

3. 너를 잊고 싶어

기억 속에서 너를 잊고 싶어
내 기억이 내 기억이 아니었으면 해
왜 그런 거야,
왜 찌꺼기로 너는 내 기억 속에
못된 침전물로 남아 있어서
내 생각을 더럽히면서 괴롭게만 하는 거야.

기억 속에서 너를 잊고 싶어
내 기억이 내 기억이 아니었으면 해
왜 나는 너로부터
도망칠 수 없는 기억의 마법에 걸린 건지
아직도 못다 괴롭힌 게 남아 있는 거냐.

기억 속에서 너를 잊고 싶어
그럴 수만 있다면 이보다는 더
비참하다 생각지 않고 살 수 있을 것인데
그럴 수가 없어서 스스로 무너지는 날이 많다.

4. 너를 만난 것이

너를 만난 것이
내 인생에 행운이었다고 했을 때
나는 너를 보는 것만으로도 행복해지는 것을 보았지.

네가 기다려지는 마음을 보며 사는 동안
이렇게 깨질 것은 생각할 수 없었지.
버려진 것처럼 앉아서 그때 그 말을 기억하며
아파할 줄은 몰랐었어.

너를 만난 것이
다시 악연이라 말하고 싶지만
나도 잘못이 있어서 그렇게는 말하지 못하겠다.

아무도 기다릴 사람이 없어지고
그 허전한 눈은 슬펐었다.
스스로가 지울 수 없어서 그랬었다.
현실을 받아들일 수가 없어서

너를 만난 것이
내 인생 내내 끝까지 가서
천국에서도 너를 볼 수 있으리라고

그만큼 철저히 너를 믿고 생각한 것이
사람의 어리석은 믿음이었다 하니
착한 것인지, 바보인 것인지 모르겠다.

조금만 너를 생각해 주고
나를 더 많이 생각할 것을 그랬다고
그랬으면 내가 너를 덜 미워하게 되지 않았을까.
그랬다면 내가 덜 아파하지 않았을까 했다.

너를 만난 것이 내 인생 내내 지옥이 될 줄을
미리 아는 지혜가 있었다면
사람을 그렇게나 의지하지 않았을 텐데
이제 와서 많은 생각이 어지럽게 널리고
아무것도 변화시킬 수 없는 지금을 후회하게 된다.

5. 너를 만나서 나는

너를 만나서 기대가 됐었지
너를 알게 모르게 나는
많이도 의지하고 있었는가 보다.

너 있을 때에는
내가 그러고 있는지도 눈치를 못 챘는데
너 가고 난 후에
내가 갈피를 쉽게 잡지 못하는 것을 보았다.

어떤 상황을 만나면
네가 있었으면 하게 되는 나를 보고
너가 있었으면 이러지 않을 텐데 하고
많은 것들이 너와 연결되어서 아쉬워졌다.

너를 만나서 아직
나의 기대를 네가 채워 주는 것을 못 보고
너를 보낼 수밖에 없었던 그 마음들이
내 생각 속에서 떠돌아다니고 있었다.

너를 만나서 참 많은 꿈을 꿨었지
너도 아마 그랬지 않았을까 하는데

물어보지 않은 대답이라서
나는 어떻다고 말할 수가 없으니
이 또한 내 그리움이 된다.

내가 너를 많이 의지했었기에
내 기억에서 너를 지워 내는 것이
쉽지 않은 난관을 만나서 좌절되는 게 아닌가 한다.

어떤 상황을 만나도
너를 기억할 만한 어떤 곳에서
나는 너를 기억하지 않는 날이 올까.
그렇게 편해지는 날이 오기나 할까.

너를 만나서 나는 내 인생의
또 다른 꿈을 꾸었었는데
그 꿈은 너와 함께 다시 원점으로 돌아가고
너를 몰랐었던 그때보다 더 많이
나는 인생의 허무를 느끼고 있다.

6. 너를 원망하면서

처음에는 니가 어떻게
나한테 이럴 수 있어, 그랬다.
너였기 때문에 더 이해할 수 없어서
그래서 더 아픈 것이라고 생각했기 때문이다.

지나간 시간들을 생각하면서
다른 사람도 아니고 네가 어떻게
나한테 그럴 수 있었을까, 해서
자꾸만 아파서 눈물이 났다.

마음이 저 죽음의 구렁텅이에서
끝도 안 보이는 어둠의 세상에서
나올 수 없어서, 그래도 살고 싶어서
너를 원망하면서 미워했었다.

그런다고 니가 나에게 한
이 상황이 없던 것으로 되지도 않을 것을
알면서도 멈출 수가 없었다.
너를 그러면서 미워하면 내가
조금 나아질 것 같아서 그러지는 않았다.

처음에는 니가 나한테
어떻게 이럴 수가 있을까, 해서
스쳐 지나가는 기억들 속에서 억울했고
너를 미워할 수밖에 없었다.

그때는 내 잘못은 찾을 여유가 없었지
나는 완전한데 너만 이상했다고
마음은 너를 지목하며 말하는 것을
그대로 믿고 있었기 때문이다.

그러나 내 감정의 골짜기가
조금은 메꾸어진 때에 와서
너는 내 미움의 사슬에서 풀려나게 되었다.
나이니까 이럴 수 있듯이
너이니까 나한테 그럴 수 있었다고
내 생각을 바꾸어서 나의 불완전을 인정했다.

처음에는 니가 어떻게 나한테 그러냐고 했으나
나 때문에 너도 참다가
그 참음의 둑이 터져서 무너졌을 것이라고
말하지 않고 간 너의 마음도 헤아릴 줄 알게 되었다.

7. 너 때문이라고

너를 만난 것이
내 인생의 불행이 되었다고
끝까지 믿고 싶었지만
시간은 인생이 그래서 불행한 것이 아니라고
그것들은 다 아주 작은 가시가
살짝 찌르고 스쳐서 간 것이라 그랬다.

그때는 이 사실을 깨닫지 못해서
내 인생이 이렇게 주저앉은 것이 마치
너 때문에 일어난 일들로 인해서
내가 이렇게 불행해졌다고 믿고만 싶었었다.

너 없었을 때에도
나는 행복하지 않았던 감정을 잊은 것이었다.
너를 만나서 행복해지고 싶은 기대와
타오르던 내 열망이 너무나 커서
실패로 돌아간 책임을 몽땅 다 쓸어서
네가 그랬다고 덮어씌우고 싶었던 것이다.

너를 만난 것이 내 인생의
또 하나의 아픔을 주고 간 일이 되었지만

너 때문에 내 인생의 불행이
시작된 것은 아니었다고 말해 주고 싶다.

너도 나를 만나서 행복해지고 싶었을 것을
시간이 지나 내가 조금은 더 성숙해진 듯한 날에
나는 너를 객관적으로 볼 여유가 생겨서
너도 나 때문에 네 인생에 지울 수 없는
기억의 한 줄이 새겨져 있을 것을 알았다.

사람의 인생은 너 때문도 아니고
나 때문도 아닌 그보다 더 원초적인 데서
불행은 온 것이라고 안 것에서 나는
숨을 쉬는 것이 한숨이 아니게 되어졌다.
하나님은 나에게 그것을 가르쳐 주셨고
그때에 나는 너로부터 자유로워질 수가 있었다.

너 때문이란 말을
내 생각 속에서 끊어낼 수가 있었다.
네가 내 인생에 불행을 가져왔다고
말하지 않을 수가 있게 되어졌다.

8. 내가 나을까 해서

내게 있는 아픔이
너를 만나면 나아질까, 해서
너에게 나의 약이 되어 줄 것을 기대했었다.
네가 나의 붕대가 되어서 갈 줄 알았지.

설마 네가 조금 있다가
상처에 소금을 뿌리고 가서
나 혼자만 그 상처를 바라보면서 내내
그 위에 또 눈물을 흘릴 줄을 몰랐다.

사람은 아픈 것이
마음이 찢어진 그곳이
사람을 만난다고 해결되지 않는다는 것을
미리 알지 못한 내 소망이 무너지고서야
더 빼빼 마른 외로운 고독 속에서 알아졌지.

너는 내게 있는 아픔이 아니라
내게 아직 남아 있는 성한 부분을 보고는
나에게 오고 싶어 했다는 것을 알았다.
내가 너를 보고 그런 것처럼

사람의 마음은 못나고 썩은 것은
다 칼로 도려내고 먹는다는 것을 몰랐다.
좋은 것만 내 것이라고 취하는 것이
사람의 근본적인 속성인 것을

내가 너의 못난 부분이 싫은 것처럼
너도 나의 아픈 곳이 싫은 것이었는데
내 안에 있는 상처는 너를 치유의 약으로
감싸 줄 붕대로 오해하고 헛물을 켜고 있었다.

전혀 다는 꿈을 꾸고 있었던 것이지
아니, 너도 나에게로 온 것이 그 이유였다면
같은 꿈을 꾸고 있었던 것인데
서로가 그 역할을 하지 않으려는
직무 유기 때문에 파산하게 되어졌는가.

내게 있는 아픔이 너에게로 가서
고쳐지고 싶어서 그렇게나 애가 탔었는데
너는 그 마음에다가 더 많은 상처를 내고
피 흘리는 그것을 보고는 알면서 버리고는 갔다.
그때 내 기억 속에 있는 너는 그랬다.

9. 내 억울함이 되다.

너를 사랑한 것이 내 아픔이 되었고
너에게 쏟은 정성이 내 억울함이 되었다.
이것들이 다 내게서 나가서
너의 것이 된 것처럼 생각이 되었다.

생각하면 너무 억울해서
내 것을 다 빼앗기고 껍데기만 남은
나인 것 같아서 괴로워했었다.

너를 믿고 사랑한 그만큼 보다
내 아픔은 내가 기대했던 그만큼으로 컸고
억울하다는 분노도 그러했다.

너를 사랑한 시간들이 아픔이 될 것이었다면
나는 안 그랬을까.
대충대충 홀대했을까.
별의별 생각이 다 들었었다.

너를 사랑한 것이 고스란히 내 아픔이 되어
오랫동안 억울해하고 있었다.
너는 나에게 내게 있는 많은 시간들을

낭비하게 만들어 버렸다.

너를 사랑한 것이 내 아픔이 되어 돌아왔고
내가 너에게 준 정성들은 곧 억울함이 되었다.
되돌려 받으려고 내가 너에게 그랬었던 것을 알았다.
그렇지 않았다면 그러지 않았겠지.

시간이 지나고 나서
많은 세월을 너에 대한 생각 때문에
허무하게 땅에 쏟아 버리고 나서
나는 나로 설 수 있게 되었다.

아픔도 억울함도 내가 지고 가야 할
내가 스스로 만든 짐이라는 것을 인정했다.
너 때문만도 아니라고 말할 수 있게 되고서
나는 나를 올바른 시각으로 볼 수가 있었다.

너를 믿고 사랑한 그만큼의 시간도
내 인생의 어느 한 토막이 되었다는 것을
나는 인정했다.
그 인정함이 없으면 나는 지금도
넘어진 자리에서 쓰러뜨려졌다고 말하고 있었을 것이다.

10. 네 등 뒤에서 내가

사람이 혹독한 시련 없이는
자기 자신의 고집을 꺾지 않는다는 것을
너를 통해서 알게 되었다.

내가 나라고 하는
나만의 고유한 못된 성질을 네가 아니었으면
나는 결코 못 버렸을 것만 같다.

내가 얼마나 독한 것도
나로 인하여 알게 되어졌다.
너를 향한 내 악을 보면서
나는 전혀 괜찮은 사람이 아니라는 것을
네가 떠나고 나서 나는 알게 되었다.

나는 너만 나쁘다고 그랬었지만
내가 더 오래도록 너를 미워하는 것을 보면서
사람이 너나 나나 다 똑같은 존재일 뿐
아무 선한 것이 사람 속에는 없구나, 했다.

버려진 것 같은 그 시련 속에서
아무도 없구나, 하는 아픔 속에서

나는 하나님을 진하게 생각하게 되면서
내 굽혀지지 않던 내면의 무릎을 꿇었다.

내가 나라고 하는 것은
내게 독이 되는 것이었음을
너 없는 상태에서 하나님을 기억하는
내 의지적인 선택 앞에서 알게 되어졌다.

너 가고 나서
네 등 뒤에서 내가 말했었다.
위선자였구나, 그것도 모르고 나는 속았구나,
악한 생각이 너를 향해서 가고 있었다.
나도 모르던 악들이었다.

너 때문에 분노하다가
내 안의 악을 만나서 스스로 쓰러지는 것을 보았다.
내가 망하는 것은 네가 아니라
내 안에 있는 내 악 때문임을 인정했다.

선이신 하나님 앞에서 악인 내가 엎드러져야
코를 흙에 박고 하나님으로 다시
일어서야 하는 인생이 되는 것이라고
너 때문에 악을 타고 높이 올라가다가 알게 되었다.

11. 가버린 사랑 후에

이미 가버린 너를 내 사랑이 아니었다고
생각한다는 것은 쉽지 않았다.
믿었기 때문에 그 믿음이 나를
내가 파괴되기까지 붙들고 있도록 했다.

사랑하기 때문에 믿는 것인데
그 좋은 믿음이 가장 강력한
너와 나를 부수는 무기인 것을 보았다.
안 믿었으면 그렇게까지는 강력하지는 않았겠지.

믿은 것도 잘못이지만
믿게 만든 사람에게도 피해 갈 수 없는
어떤 변명을 해야 하겠지
그래서 그랬다고.

이미 가버린 너를 지나가는 소낙비 같은
오래 가지 못할 사랑이었다고 말할 수 있었으면
쉽게 생각의 끈을 놓았을 것을
나는 그렇게 하지 못해서 오래도록
그 거짓의 끈에 꽁꽁 묶여져 있었다.

네가 떠나고 남은 자리에서
나는 누구를 사랑해야 하는지를 알았다.
배신당하지 않을 사랑을 해야 한다는 것도
사람은 끝까지 자기 사랑을 지킬 수 없는
쉽게 부러지는 갈대인 것을 확인했다.

너 없는 자리에서 나만 오래
상처로 인해 속앓이를 하다가
내가 목숨을 걸고 믿고 사랑해야 할
내 사랑이 가야 할 대상은 하나님이었음을 알았다.

나는 네가 떠나고서야
끝까지 배신당하지 않을 사랑을 붙잡게 되었지.
그 사랑은 영원까지 지속될 것이고
반드시 그만큼의 보상이 돌아오는 것이다.

사람의 사랑은 지나가는 사랑이고
하나님의 사랑은 쌓여 가는 사랑이라서
내가 한 만큼 내게로 되돌려 주는 것이라
나는 결코 버려지지 않는 사랑을 찾은 것이다.

12. 너를 놓아야 했었는데

사람의 미련한 것이
자기 자신을 죽이기까지 그런 것 같다.
가버린 사람은 놓아야 하고
없어진 사람은 잊어야 하는 것인데
기억 속에서 홀로 대롱대롱 끝까지 버티며 미련을 떤다.

너 때문에 나는 나의 미련을 보며
이 미련이 나를 망치고 있다는 것을 알면서도
그 힘에서 벗어나지 못하고 있었다.
지독한 미련이 나를 어둠 속으로 끌고 가고 있어도
나는 전혀 방어하지 못하고서.

사람은 사람에게 갖는 미련이
자가 목숨을 주고도 살 만큼 큰 것 같다.
미련한 마음이 자신도 삼킬 수 있으니까
너만 독한 것이 아니라 나도 독한 것을 안다.

사람이 미련의 껍질이 벗겨져야
기억 속에 남아 있는 너로 인하여
내가 상하지 않는 것인데
나는 그 껍질을 벗고 나오고 싶지가 않았던 것이다.

13. 생각 속에 네가 없었으면

생각이 없었으면
생각 속에 네가 들어 있지 않았으면
나는 너를 기억하지 못했을 텐데

생각할 수 없어서
기억 속에서 너를 보지 않을 수 있었으면
나는 너 때문에 울지 못했을 것인데

나는 생각할 수 있고
그 기능은 죽는 그 순간까지 살아 있을 것이라서
너를 잊을 수 없는 고통이 오래갈 것만 같다.

내게 이런저런 생각을 주고 간 너는
네 기억 속에서 나를 지웠으니까
생각도 함께 없어졌겠지.

네가 내게로 와서
내게 생각이 되어지지 않았다면
생각 속에 너는 안 들어 있었을 텐데

네가 내게로 오더니

내 생각을 채우기 시작했고
기억 속에서 너는 안 지워지고 있다.

생각이 지워지면 그날은 곧
내가 지워지는 날이 되겠지 않을까.
너를 생각하지 않으려다 그러지 않을까.

네가 내 생각 속에 없었을 때에
나는 이보다는 행복했었던 것만 같은 기분이 들었다.
너를 생각하는 것이 내 절망이 되어서
악한 때도 행복이었다고 착각하게 만들었다.

어떤 것을 생각할 수 없다는 것은
그것이 내게 없기 때문이었다.
사람은 자기 기억 속에 없는 것을
생각할 수 있는 존재가 아닌 것이었다.

너에 대한 생각이 내게 없었으면
너는 나에게는 없는 사람이었을 텐데
너는 갔어도 너는 내게 있는 것이
가끔은 씁쓸한 기억이 된다.

더 사랑한 사람이 더 아프다.

14. 한동안의 방황

한동안 너를 기억하며 나는
눈동자가 멈출 곳을 찾을 수가 없어서
방황하는 슬픔을 겪었었다.

네가 있을 때에 나는
내 눈동자를 너에게만 고정하고
머물러 있지 않았으면서도 그랬다.

내 눈은 방황하는 눈동자의
정처 없는 길을 따라서 지치고 있었고
너를 찾기까지 멈출 수 없다고 그랬었다.

꼭 한동안만 그랬다.
마음은 간사해서 곧 다른 것을
눈으로 찍어서 보내라고 명령했기에
몸은 마음의 노예가 되어 복종하고 있었다.

한동안만 나는 너를 기억하면서
마음 붙일 데가 없어서 그랬었다.
그렇게 떠도는 마음의 고통을 겪었다.

15. 내게 약속했던 너

너는 내게 약속을 했지.
그리고 또 약속을 했지.
다 지킬 것처럼 크게 말해서 나는
너만은 지킬 것이라고 믿었다.

세상 사람들은 다 어겨도
너만은 절대 안 그럴 것이라고 한 것이
헛된 맹세에 대한 나의 헛된 믿음이었다.

세상 사람들은 자기들의 약속을 다 지켜도
너만은 절대 지키지 않을 것이라고
나는 너를 불신했어야 옳았었다.

너는 내게 약속을 했었지.
꼭 지켜서 내 기대에 부응할 것만 같아서
나는 의심할 것이 없었다.
네가 약속을 어기는 것에 대해서는
철저하게 싫어했기 때문에 믿었었다.

그러나 그것은 나에게 던진 미끼였는가.
너는 그것들 중에 단 하나도 안 지키고

미안하다고 말도 하지 않고서는
흔적 없이 가서 다시는 오지 않기로 했는지
내가 있는 쪽으로는 걸음을 멈추고 말았다.

세상 사람들은 다 그래도
너만은 안 그럴 것이라고 믿은 것이
잘못되었다고 내가 그러면서 기가 막혔고
너를 향한 내 증오가 나를 태우고 있었다.

너는 내게 약속을 했었지.
지금 생각하니, 지키려고 노력하는 모습을
내가 볼 수 없었는데도 나는 왜
눈치를 채지 못하였을까.

처음부터 안 지키려고 약속했었나, 하면
내가 이보다 더 비극이 될 것 같아서
지키고 싶었지만 능력이 없었다.
인생이 풀리지 않아서 그랬다고 생각하기로 했다.

16. 버려졌다는 마음

네가 나에게서 가고서
나는 사람에게서 믿음을 찾지 않기로 했지.
믿는다는 것은 모험이고 아픔을 언제든지
당할 것을 전당 잡히는 것이라고
알고 또 알고 그 이상 더 알았기에 그랬지.

네가 나를 버렸다고 말하지는 않았다.
그냥 내가 네게는 버거워서 갔다고
그렇게 말하기로 했었지.
사실인지 아닌지 네게 물어볼 수 없으니
알 수 있는 길은 이제 없어졌지만

네가 나를 네 등 뒤에 두고서
다시 안 돌아볼 것이라고 결심했겠지.
그것도 절대 쉬운 결정이 아니었으리라는 것을
내가 왜 모를 수 있겠냐.
그렇지만 나는 너보다 손해가 난 것만 같아서
보상되지 않는 아픔이라 말하고 있었지.

네가 가고서 안 오는 시간은
참으로 많이 길었다고 생각한다.

때로는 내가 미워하면서도 기다리고 있는
나의 모순을 발견하게도 되고 그랬었지.
그랬었지, 그때 나는 그런 병을 앓고 있었지.

너를 원망하기도 하고
나를 미워하기도 하고 그러면서
시간은 어느덧 다 이해할 만큼 나를
멀리까지 데려다 놓고 있었다.
시간이 약은 아니었지만, 시간은 그렇게 흘러갔다.

네가 나에게서 너를 철수시키고
네 마음조차도 나에게서 철회한 것이라
그랬다고 나는 생각했지.
너는 참으로 냉정한 사람이었다는 것을
네가 나에게 그럴 수 있는 사람이었다는 것을
내가 아는 데 나는 너무 많은 시간을
너에게 빼앗겼구나 싶어서 아팠었지.

17. 허무한 그 말

내가 너를 어찌 잊을까 했다.
억울해서 못 잊을 것만 같았지.
죽으면 기억할 수 없이 지워질까도 생각한 것은
내가 너로 인해서 더 이상
끌려다니는 존재가 아니고 싶어서 그랬다.

내가 너를 어떻게 잊을까 했다.
분노가 삭지 않아서 그랬지.
죽을 것만 같은 타오르는 분노 때문에
내가 너를 절대 안 잊겠다고 했기에 그랬다.

내가 너를 어찌 잊을까.
내가 죽는 그날까지 그 억울함에서 오는
분노의 불이 내 안에서 꺼지지 않는
똑같은 강도로 타오를 수 있을 것이라고 믿었기에 그랬다.

내가 너를 어찌 잊을까 했던
그 말도 허무한 것이더라.
못 지킬 그런 허망한 것이더라.
절대 못 지킬 그런 것이더라.

어찌 잊을까, 어떻게 잊을까, 하는
그런 말들도 내가 행복해지면
슬그머니 사라질 말들이었는데 몰랐었지.
미움이 가득 차서 내가 뱉은 말이었지.

내가 행복해지면 억울함도
삭아서 낡아지는 경험이 되는 것을
너를 미워하면서 불행해지기로 했었기에
너를 내가 어떻게 잊을 수 있겠냐고 그랬던 것이지.

내 마음이 평안의 언덕에 서면 되었던 것을
굳이 안 잊으려고도 잊으려고도
그러지 않아도 다 정리가 질서 있게 되는 것을
쓸데없는 열정으로 내 안에 도사리고 있던
수많은 악들을 부추겨서 속만 시끄럽게 했었지.

내가 행복해지면 오히려
네가 스스로 떠나간 것이 잘됐다고
말할 수 있게 되는 것을 알지 못해서
미워하는 감정으로 너를 안 잊으려고 했었지.

18. 상처만 기억이 난다.

어떤 의미로든 너는 내게 있다.
한번 알고 있다고 한 내 기억 속에
너는 머물러서 안 갈 줄을 나는 안다.

좋은 기억으로 네가 있었으면 좋았을 것을
생각하면 기분이 좋아지는 기억으로
네가 내게 남아 있을 수 있었다면 좋았을 것을

아무것도 기억이 안 나고
상처만 기억이 나고 있다.
너는 그 의미로 내 속에 있는
내게도 네게도 안 된 사람이지.

사람은 너와 같이도 나와 같이도
그렇게 살아서는 안 되는 것이다.
사람은 사람처럼 사는 게 목적이 되어서는
절대 안 되는 것이라는 것을 알았다.

사람은 예수 그리스도의 장성한 키만큼
거기까지 자라가야 한다고
하나님은 그 말씀을 하셨다.

사람의 사는 목적이 거기까지라는 것을 말씀하셨다.

나는 네가 어떤 의미로 존재하는지를 알 수 없다.
네 기억 속에 나도 네 상처가 되고 있을까.
너도 나와 같이 잘못한 것만 기억하는
기억의 오류 속에 빠져 있을까.

서로가 좋은 기억으로 남겨지려고 애썼으면
지금 이런 기억은 없었겠지.
그 사람, 참 괜찮았었다고 말할 수 있었겠지.
그러지 못하고 사는 내가 안 됐다.

어떤 의미로든 너는 내 안에 있는데
너는 내 곁에 없는 것이다.
그러나 너는 분명히 내게 있어서
기억 속에서 너를 보지 않을 수 있다면 하는
그런 때가 있는 나이다.
내 기억 속에서 너는 지금껏 그러고 산다.

19. 사랑은 아프고 아픈 것

사랑은 아프다.
사랑은 아프고 아파서 아는 것이 사랑.
사랑은 짐을 지기로 하는 것.
그리고 끝까지 가기로 하는 것이다.

사랑은 아프다가 아파서
말하다가 알아지는 것이 사랑.
사랑은 네 짐을 네가 지겠다고
너에게 말하는 것의 약속에서 맺어진다.

사랑은 아프지 않은 것이라고 하면
그것은 그 사람의 거짓된 마음에서 나는
위선에서 오는 속임이다.

하나님은 사랑을 달다고 말씀하지 않으셨지.
사랑은 십자가에서 피 흘리며 하는
죽음까지 걸고 하는 두려운 아픔이라 하셨지.

사랑은 아프다.
그렇게 말하는 사람이 사랑을 안 것.
사랑은 그 속에 살아 있는 생명이 있어서

더 사랑한 사람이 더 아프다.

지켜야 하는 짐이 된다.

사랑은 너의 아픔을 내가 지고
내가 아파서 너를 안 아프게 하는 것이라고
하나님은 예수 그리스도를 통하여 가르치셨다.
십자가가 없는 사랑은 요란한 빈 수레라고.

사랑은 아픔이지만
아프고 아프다가 끝에서는 웃을 수 있는
참아야 하는 고통도 함께하겠다는 것이다.
사랑은 살아서 남자고 하는 전우의 약속과 같다.

사랑은 아프다.
아프고 아프다가 알아지는 것이 사랑이다.
고통과 눈물이 없는 사랑은 덜 익은 사랑이라서
따먹고 살 수 없는 과일과 같다.

20. 너는 그냥 내게 있는 사람

눈을 감아도 눈을 떠도 있는
그냥 있는 사람
그냥 내게 있는 사람

처음부터 내가 있는 것처럼
그냥 있는 사람
그냥 내게 나처럼 있는 사람

보이지 않는 내 속의 상처처럼
안 보이지만 그냥 있는 사람
그냥 내게 있는 사람

잠 속에서도 안 없어지고
나와 함께 일어나는, 마치 나와 같이
그냥 있는 사람
그냥 내게 있는 사람

내가 죽어도 거기에 있을 사람
거기에서도 그냥 있는 사람
너는 내게 그냥 있는 사람

절대로 없었던 것으로 되지 않고
그냥 있게 된 사람
내가 가는 천국에서도 너는 있을 것이다.

눈을 감아도 눈을 떠도
그냥 있는 사람
너는 그냥 내게 나처럼 있는 사람

처음부터 있는 나처럼
그냥 있는 사람
너는 내게 그냥 있는 사람이다.

안 보인다고 없는 것도 아니니
너는 있는 것이지
그냥 너는 너로 있는 것이지
내게 있는 너는 그냥 있는 사람이다.

보이지 않는 상처처럼
너는 내게 낙인처럼 찍혀서
빠지지 않는 그냥 있기로 한 그 사람이다.

21. 사람이면 그 사람도

어쩌다가 이렇게 됐냐고
내게 물어보지 말기로 하자.
내게 더는 상처를 주지는 말자.

사람이면 그 사람도 아팠을 것이라고
나보다는 오래도록 깊게는 아닐지라도
그랬을 것이라고 묻어 두기로 하자.

다시는 내가 내게 어쩌다가
너는 이렇게 되었느냐고 물어서
이미 넘치는 상처에 상처를 더하지는 말자.
내가 내게 상처 주는 일은 말자고 했다.

사람이면 그 사람도 상처가 났을 것이라고
내가 생각한 그 생각 속에 다 묻고
더는 나를 내가 쓰러뜨리지는 말자고 했다.

어쩌다가 이렇게까지 됐나, 하면
너보다는 내가 더 상처가 나지.
내가 나를 좌절시키는 일은 이제 그만 하기로 하자.
그래서 내가 얻는 것이 없다.

사람이면 너도 상처가 나겠고
그것으로 끝내고 더 이상은 상처 날 필요가 없다고
내가 내게 말하고 일어서서
너보다 더 먼저 가서 나를 보이자.

어쩌다가 이렇게 됐냐고
내게 묻지 말자.
그래서 더는 내가 나에게 상처를 주지는 말자고
내가 내게 말했다.

사람이면 너도 안 지워지는 상처가 났겠지.
그렇게 믿고 너를 놓아서
내가 상처 나는 말은 이제 하지 말자고
내게 묻고 물어서 다시 들추지는 말자 한다.

22. 너를 생각하면

내가 너를 생각하면서
내가 어떻게 살았는지를 보고
그러지 말 것을 하고 후회를 한다.

너만 아니었으면 그래도
내 인생은 부끄럽지 않았을 것을
내게 내가 그렇게 지적하지는 않고 있을 것을, 한다.

내가 너를 생각하면서
나를 보는 것이 편치 않아서
너 때문에 내가 이렇게 됐다는
그 이유가 나를 원망하고 있는 것이다.

너를 빼놓고 내 인생을
뒤돌아볼 수 없게 된 것이
지나간 일들을 기억해 내고 싶지 않은 까닭이라고
내가 내게 말하는 독백을 듣는다.

너를 내 인생에서 뺄 수만 있다면
털을 뽑듯이 뽑아낼 수 있다면
점을 빼듯이 레이저로 지져서 없앨 수만 있다면

암종을 도려내듯이 그럴 수 있다면 한다.

내가 너를 생각하면서
너를 미워하는 내가 밉다.
너 때문에 내가 더 밉다.

너만 아니었으면 그래도
그럭저럭 괜찮았을 것인데
잘 오다가 너로 인해서 걸려 넘어진
그 자리 때문에 사람들과 내게 떳떳하지 않은
하나님 앞에 고개를 못 드는 자가 됐다, 한다.

생각하고 싶지 않은 너인데
네가 생각나는 것은 나를 낮추기 위한
하나님의 뜻인가, 하기도 하고
내 과거를 기억하고 교만하지 말라는 것인가?

내가 너를 생각하면은
내가 누군가를 비난할 자격이 없어진다.
너나 잘 살지, 니가 무슨 자격으로 그러냐고
다 너보다는 낮다고 내가 나를 질책한다.
더 부끄럽게 산 너는 어쩌고
그렇게 말을 했냐고 한다.

23. 서러워서 소리 없이 울었다.

너 때문에 태어나서 내가
가장 서럽게 울었다.
땅을 치면서 너로 인해 내가
나 때문에 가장 아프게 울었다.

너 때문에 오랫동안 내가
자면서도 눈물이 베개로 흘러내렸다.
소리 없는 억울한 눈물이 흘러서
내 안에 강을 만들고 내가 잠겨서
거기 누워 잠이 들었다.

네가 아니었으면 내 인생에서
아직까지는 그렇게 서럽게 울 일이 없는데
너 때문에 그때 내가 내 인생에서
깊숙이 뼈아픈 울음을 소리 없이 울었다.

나에 대한 불쌍함과 너에 대한 원망
나에 대한 원망과 너에 대한 증오가
서로서로 얽혀서 나는 감정에 갇혀서
그 갇힌 거기서 나오지 못하고 울었다.

너 때문에 왜 내가
이렇게 되어져야 했는가, 하면서
나는 너 없는 세상에서 살았으면
이러지는 않았을 것을, 그랬다.

이보다 더 서럽고 억울할 수가 있을까.
내가 무슨 잘못을 했다고 이러나, 했다.
소리 없는 눈물이 나를 삼키고 있었다.
네 악이 내 선을 잡아먹고 있었다.

네가 아니었으면 이라는 그 가정은
너에 대한 나의 나쁜 기억 때문에 일어났다.
내가 너 때문에 서럽게 울면서
세상에 나만 악한 덫에 걸려서 못 빠져나오는
퍼덕이는 약한 새끼 새 한 마리 같았다.

퍼덕이다가 털도 다 빠지고
발목도 부러져서 피가 나고
이제는 날 수도 없는 불구가 된 그 새가 된 것 같은
그게 나인 것만 같아서 이 세상에서
내가 가장 서러운 듯이 그렇게 울었다.
너 때문에 그랬었다.

24. 너를 사랑한 것이

너를 사랑한 것이 아픔이 될 줄을
내가 알았다면 나는 그렇게 하지 않았을까.
내 사랑만 소중해서 네가 아프지 않았을까.

내 사랑이 너를 괴롭힌 것 같아서
내 사람이 네게 상처가 되고, 감옥이 되고
네 자유를 빼앗은 것만 같아서
내가 자책이 되어 쓰러져 눕기만 했다.

너는 나를 진정으로 사랑했어도
나는 그렇지 못한 것만 같아서
너 없는 지금 나는 너의 그 사랑 때문에
뒤늦은 후회를 하는 중이다.

너를 사랑한 그것이 잘못되어서
내게 더 아픔이 되는 것 같다.
내가 그것을 미리 알았더라면 그랬을까.
네 사랑의 방식을 닮았었으면
그래도 덜 아쉬움이 남았을 텐데, 하는
잡을 수 없는 너에게 말하고 있었다.

너를 사랑한 내 마음에 대못이 박혔다.
내 사랑이 잘못되었다고 말하고 있었다.
그러지 말 것을, 그러지 말 것을,

너를 자유롭게 놓아주고
나에게는 엄격한 사람이었어야 했는데
나는 그 반대로 하고 살았다는 자책의 채찍이
밤이고 낮이고 와서 치고 있었다.

처음으로 너는 나를 진정으로 사랑했다고
미련한 깨달음을 말하고 있는 내가 미웠다.
너에게 말했어야 할 것을
왜 나에게 말하면서 이래야 되는가.

사람이 자기만 사랑하는 이기적인 존재라서
없어진 후에야 소중함을 알게 되는
그런 미련한 껍질을 덮어쓰고 사는 것이
사람인 것을 너를 잃고 내가 알았다.
숨 막히는 고통의 눈물 속에서 내가

25. 사랑하는 사람아, 이제는

사랑하는 사람아,
이제는 사랑하던 사람이 되었다.
지금도 사랑하는 사람으로 있었으면 좋았겠지만
인생이라는 것이 뜻대로 되지 않으니
사람이 어떻게 자기 욕심을 다 채울 수가 있겠냐.

사랑하는 사람아,
이제는 사랑했던 사람으로 되었다.
인정하고 싶지 않은 그때를 지나서
당연하게 받아들이기까지는 오래 걸렸지.
삶이라는 것을 아는 만큼으로 걸렸다.
사람이 어떻게 내 욕심을 다 채우며 살 수가 있겠냐.

멀리 가버린 내 사랑은
사랑하던 기억과 사랑했던 마음으로 있고
인생을 알아가는 그만큼씩 너를 놓는다.
내 욕심을 비우는 그만큼씩으로 너를 향한
나의 몹쓸 집착이 사라지고 똑바로 보게 되어진다.

사랑했던 사람아,
사랑하는 사람의 현실로는 없지만

없는 네가 내게 있다는 것을 너도 알겠지.
인정하고 너를 많이 잊은 내 기억을 너도 알겠지.

사랑하는 사람아,
사랑했던 사람으로 네가 내게 있기까지
내 눈물이 떨어져 땅을 파고 거기에
너를 묻게 되기까지는 많은 날들이 필요했었다.
내 욕심을 어느 만큼 흙에 묻기까지 걸렸다.

네가 사랑하던 사람으로 내게 있고
나는 사랑했었지만 네가 없다는 것을
스스로 받아들이고 울렁이지 않는 마음으로
억울하지 않은 심정으로 너를 생각하기에 까지는
내 욕심을 하나님에게 맡기기까지 걸렸다.

사랑하는 사람아,
내가 살기 위해서 어쩌면
내 눈물과 함께 너를 놓는 것이다.
사람이 무엇을 어떻게 하겠냐는 이유를 달아서
너를 놓고 새롭게 살려는 또 다른 내 욕심인 것이다.

26. 너를 많이 미워했었다.

너는 많이 미웠었다.
견딜 수가 없는 내 아픔이었다.
네가 가고서도 한참을 너 때문에
나는 눈물을 멈출 수가 없었다.

너 때문에 내 인생이
이렇게 된 것만 같아서 그랬다.
네가 내 아픔에 숟가락 하나 더 얹은
그것뿐인데 그랬다.

본래 내게 있던 상처가
너 때문에 더 기억이 났고
그래서 너마저 나에게 이러는가, 싶었다.
그래서 그랬었다.

너는 지금 내 마음에 미움도 아니고
상처도 아니라서 아프지가 않다.
거의 기억하지 않고 산다.
너는 지나가는 겨울바람이었을 뿐이었다.

너는 내게 미움으로조차도 의미를 잃었다.

너 때문에 눈물이 나는 일은 없어졌으니까.
누군가에게 잊혀지는 것이 더 아픔이겠지.
나는 너를 잊는 것으로 미움을 이겼는가.

너 때문에 내 인생이
이렇게 된 것도 아니었다.
내가 선택을 잘못한 것에 대한 보상이었지.
그래서 사람을 선택하지는 않으려 한다.

네가 많이 미웠을 때는
잊혀지지 않는 마음속에 너 때문에
내가 그랬었던 것 같다.
기억에서 가물가물해지니 그 미움도
잊혀지는 것이었는데 말이다.

내게는 잊혀지고 있지만
어딘가에서 너는 누군가에게 기억되어지는
안 잊혀진 사람으로 또 있겠지.
그 사람에게는 미움으로 남겨져서
또 다른 상처를 주지 않았으면 좋겠다.
너무 미워서 잊어버린 사람이 되지는 않았으면 해.

27. 죽도록 미워서

당신을 생각하면 내가 아파서
그 생각을 끊고 싶은데 안 된다.
그 안 되는 병에 걸린 날에
나는 당신이라는 이름으로 있는
그 사람을 죽도록 미워하게 되어진다.

당신을 생각하지 않을 수 있다면
그 생각이 절단되어서 없어진다면
내 아픔도 제거되어질 것인데
지금은 그럴 소망을 꿈꿀 수가 없다.

당신을 놓을 수 있는 능력이 내 안에 있다면
내 아픔도 놓을 수 있을 텐데
당신은 그냥 있어도 내가 못 놓고서
원망과 눈물을 생각하고 산다.

내가 살아서 당신을 버릴 수만 있다면
당신에 대한 나의 기억을 지울 수 있다면
내가 당신을 미워하지 않을 수 있을 것인데
그러지 못해서 나는 힘든 삶을 살고만 있어진다.

당신이 내 생각을 점령하는 날
나는 당신 없는 곳에서 태어났었으면
이런 일은 없었을 것이라고 믿어 본다.
그런 일은 내게 다시 주어지지 않을 것이겠지만.

당신이 내 생각 속에 없으면
나는 내 이름이 아니라 다른 이름으로
어딘가에서 살고 있을 것인지도 모른다.
그랬으면 좋겠다는 꿈도 많이 꾸었었는데

당신은 내게 너무 강하고 무거운
부러지지 않는 쇠와 같았고, 같다.
사람인 당신은 왜 사람인 내게
쇠가 되어서 내게 그랬었을까, 한다.

당신이 내 생각을 완전히 차지하는 날
나는 당신보다 더 지독한 철이 되어서
당신이 내 앞에서 나보다 더 처절하게
쓰러지고 또 쓰러지는 것을 보고 싶다는
악한 마음에게 정복당하여 지옥에 있게 되어진다.

28. 그런 것이었다.

너를 사랑한 것이 아픔이 되고
너를 사랑하려던 것이 눈물이 되고
산다는 것은 내게 이런 것이 될 것을 몰랐다.

나 혼자 사는 세상이 안 되려고
너를 선택한 그 일이
세상에 나 혼자만 남은 것 같은
이런 것이 될 줄을

너를 사랑한 것이 아픈 기억이 됐네.
생각하면 내 눈물이 내게로 온다.
너에게서 내게로 와야 하는 게 맞는데
그러지가 못하고서

나 혼자가 아니려고 그랬던 일이
더 나를 혼자가 되게 할 것을
나는 왜 너를 택하여서 고립됐는가.

너를 사랑한 것이 상처가 되고
너를 사랑하려던 그 일들이 아프기만 하니
산다는 것은 내게 그런 것이었다.

29. 언제나 끝날 것인가, 하니

아픔도 나만큼
고통도 나만큼
미움도 나만큼

다 나만큼만 가는데
다 내 나이만큼까지만
나와 함께 갈 것인데

나와 같이 다
흔적도 없이 잊혀질 것인데
끝나지 않을 것이라는 착각에서
더 많은 참을 수 없음이 온다.

내가 영원히 여기서 살 수 없다는
그 비밀을 잊어서
이 고난들이 언제나 끝날 것인가, 하니
더 참고 싶지가 않아진다.

다 나만큼만
나와 함께 거기까지는 가서
기억도 없이 물러날 것인데

나는 나만큼의 주어진 시련들을
못 견뎌 못 견뎌서 몸부림을 치다가
끝에 와서 깨닫고는 함께 죽는다.

더 사랑한 사람이 더 아프다.

30. 그 사랑은 불안한 흔들림이요.

사람의 사랑 속에는
미움도 같이 있어
색깔이 투명하지가 않다.

그래서 사랑하냐고
묻고 확인하는 의심이
사람 안에서 안전하지 않다고 말한다.

미움과 사랑이 같이
한 마음에서 나니
변심하는 마음이라서
그 사랑은 불안한 흔들림이요,
불투명한 미래다.

사랑한다는 입술로
다시 미워한다고 말할 수 있는 혀가
사람의 입속에는 있고
그 뿌리는 죄에 데인 마음에 산다.

31. 마음보다 더 독한 것이 있으랴.

독하다 독하다
사람 마음만한 것이

악하다 악하다
사람 마음보다 더한 것이

사람의 속에서
그럴 수 있으랴.
어찌 그럴 수 있으랴.
사람이 어찌 그럴 수가 있으랴.

그 한탄이 다
동물도 아닌 것,
식물도 아닌 것,
안두겁을 쓰고 사는 사람의 속에 있는
마음 때문이 아니겠는가.

독하고 악하기를
말해 무엇하랴.
죄에 물린 독이 피에 퍼져서
썩어지며 풍겨 내는 악취인데 어찌 어쩌랴.

32. 믿었기에 아파서 죽을 수도 없는 내가

너만을 사랑한다고
아니야, 나는 끝까지
포기하지 않고 사랑할 거라고

그렇게 말하더니
말도 없이는 가서
전화도 없고 오지를 않더니

몇 년이 흘러도
기억에서 잊혀지려 하기까지
볼 수가 없네.

생각하면 너무나 억울해서
죽을 수도 없는
믿었기에 아파서 죽을 수도 없는 내가

그렇게 기가 막히게 가서는
오지 않는 그 사람을
하나님의 말씀을 듣고는
불쌍히 여기고서야 용서하기로 했지.

셀 수 없는 눈물로
내 무덤을 파고 파서
질척한 흙으로 덮어서 나를 묻고서는

더 사랑한 사람이 더 아프다.

33. 아, 이런 형벌이 있을 것인가.

아프다 아프다
믿은 사람에게 베인
표나지 않는 상처만 하랴.

어떻게 말을 해도
다 표현을 할 수가 없는
아픔인 것을, 지독한 벌인 것을

아프다 아프다
사람에게 당한
세포에 찍힌 흔적만 하랴.

어떻게 말을 해도
다 토해 내서 뒤집어 보일 수 없는
다 표 내서 씻을 수 없는
아픔인 것을, 살아 있는 징벌인 것을

아프다 아프다
믿은 사람만 아프다.
칼도 아닌 혀가 지나간
말의 자국인데 상처를 보이라네.

피를 보이라네.

그러면 보상을 하겠다고

아, 이런 살아 있는 형벌이 있을 것인가.

더 사랑한 사람이 더 아프다.

34. 이미 알아버린 심증

곱지 않은 마음으로
눈을 뜨고 개를 보면
그 개도 꼬리를 흔들지 않는다.

개도 그런데
사람의 심정이
그것을 모르리라, 하면 안 되지.

내가 언제 그랬냐고 하면은
심증에 낙인이 찍혔으나
물증이 없어서 더 속이 상하는데

사람은 꼭 그렇게 발뺌을 해서
하늘을 손바닥으로 가리는 거짓됨을 드러내어
다시 그 사람의 심정에 못을 박는다.

나는 아니라고
절대 그러지 않았다 말하지만
이미 알아버린 사람의 심정은
기가 막혀서 말을 못 하는 벙어리가 된다.

35. 사랑한다고 와서는

사랑한다고 와서는
다시 돌아서서 가기로 한 사람은
사랑의 속성이 죽음인 줄 몰라서 그런다.

달콤하리라 했더니 쓰기만 하구나,
나만 피 흘리게 생겼구나, 해서
도망치자고 한 것이네.

사랑이 아픔을 넘은
죽음의 희생에서 나온다는 걸 몰라서
왔다가는 내가 언제 그랬냐고
나 살겠다 달아나기로 한 것이지.

사랑은 그리스도 예수가 죽은 십자가에서
하나님이 말씀하신 것인데
사람이 뭣도 모르고 흉내 내려다가
죽는 것이 두려워서 잡힐까, 가는 것이네.

그래서 잡으려고 애원하면
더 무섭고 징그러워져서 그런다
벌벌 떨며 밀쳐 버리고 가는 것이지.

36. 미워하리라.

왜 나는 남을 생각하다가 괴로움만 당하나,
하루가 다 가고 밤이 오고도
그 사람에게 잡혀서
미워하리라 말하며 잠을 자는가.

남을 생각하다가
괴로움을 당한 날이 하도 많아서
머리가 반백이 되었지만
그 몸으로도 그 사람에게 잡혀서
미워하리라 마음먹으며 사는가.

하루가 다 가고 밤이 오고
이런 날이 내 앞을 지나는 사이
미움받다가 그 사람이 가버렸지만
그래도 생각하며 미웁다 하는가.

37. 배신하는 자는

가까이 있는 자가
찔러서 피를 내지
멀리 있는데 그럴까.

함께 있는 자가
나를 안다고 무시하지
모르는 자가 배신을 할까.

상처 내고 무시하는 자는
대개 멀리 있는 자가 아니고
배신하는 자는 모르는 자가 아니라
잘 안다고 철석같이 믿었던 자

가까이 있어 가깝다.
함께 있어 안다, 그러지만
가깝지도 알지도 못하는 게 사람의 마음이다.

38. 절망했던 때가 있었지.

사방이 막혔다고
내 인생은 한 번도 트인 적이 없었다
절망했던 때가 있었지.

어떻게 인생이 이러나
죽어라 죽어라 하는가.
믿지도 않으면서 하늘을 원망하며
그 하늘도 보기가 싫어 땅만 보고
사람만 바라보다 지쳤던 때가 있었지.

사방이 막혔다고 믿어져서
숨이 막힐 것 같다 할 때에
하늘이 열려져 있다고 마음으로 보여지면
그때 숨통이 터지게 된다.

하늘에는 사방이 열려져 있음을 보면
절망이 그 속으로 가서 죽는다.
죽어라 죽어라 하는 인생인 줄 알았는데
살아라 살아라, 하늘에서 그래라, 하는
인생으로 관점이 전환이 된다.

39. 그러면 철이 든 것이다.

미워하지 말자고 하면 더 미워질 일이 생기고
그만두자 생각하면 더 그만두지 못할 일이 일어나고
사람의 마음이 원래 이렇구나, 알면
철이 든 것이다.

사랑해야지 해도 더 사랑해지지 않고
하지 말아야지 다짐을 하고 나면 더 하고 싶음이
사람의 원래 마음이구나, 알면
인간이 철이 든 것이다.

미워하면 내가 무얼 하겠어
불쌍하다 하고, 보자 하는 것도 잠시고
다시 원래의 미운 마음으로 돌아가는 나를 보면서
이게 인간이구나를 알면 철이 든 것이다.

미워하지 말고 불쌍히 보자고
사랑하는 것도 그만두자고
하지 말자고 하는 것도
내 마음이 할 수 있는 영역이 아니구나, 알면
예수님 곁에서 철이 든 것이다.

40. 참아도 참아도 눈물이 날 때

참아도 참아도 눈물이 날 때
그때는 정말로 딱 눈을 감고
숨을 안 쉬었으면 한다.

눈물을 먹으며
배가 부르는 날에
그때는 정말로 수저를 딱 놓고
갔으면

나다 나다 이제는
더 날 눈물이 없기까지 지치는 날에
그때는 정말로 딱 여기서 그만
천사가 왔으면

참아도 참아도 마음이 꺼지며
다시는 올라오지 않는 날에
다음 날 아침이 없었으면 한다.

41. 너는 모르리

너는 모르리, 너는 모르리
이 썩은 속을 너는 모르리
얼굴이 노랗게 떠서 죽은 이유를 너는 모르리.

내가 얼마나 그때에
이 속이 다 썩어서
이제는 아무것도 없이 사는지를
너는 모르리, 내 마음의 그때를

너는 모르리, 생각하면 지금도
가슴이 먹먹해지는 그때의 나를
너는 모르리, 그때 이후로 이 얼굴이 이렇게
누렇게 떠서 죽음 꽃이 핀 이유를 너는 모르리.

너는 모르리, 내가 살아온 세월이
얼마나 매서웠던지
이 속이 다 타서 없어져
이제는 아무것도 없이 빈속으로
껍데기만 남아서 사는 나를 모르리.

42. 잠시 사는 것인데

잠깐 사는 것인데
불평하고 원망하다가
탓하고 미워하며 핑계 대다가
속이 쑥대밭이 되어
인생을 다 태워 버리고는
청춘은 어디로 갔는가, 한다.

사는 날이 이렇게 짧은 줄 알았더라면
사는 것도 이런 줄 알았더라면
그때, 그러지 말 것을, 하는 마음이 앉아서
후회를 해 본들 어쩔 것인가.

지금이라도 잘해 보려니
힘도 없지만 사람도 가버렸다.
내 독설을 맞고서 아무 표시도 없이
제초제 맞아서는 파랗게 쌩쌩한 것 같더니만

며칠이 지난 후에 보니 노랗게 타 죽은 풀처럼
그렇게 가버렸으니, 내가 원망이 되어서 미워진다.
그러지 말 것을, 이렇게 잠시 사는
인생인 줄 알았더라면 그럴 것을.

43. 천사의 가면을 쓰고

사람의 사랑은 천사의 가면을 쓰고 와서
악마의 가면을 쓰고서 가는 것이 사랑.

그것을 사랑이라고 와서 말하니
천사인 줄 알고는 사람이
아, 이것이 사랑이구나, 하다가는
어느 날 악마인 줄 탄로가 나면
그 사랑은 본색을 드러내며
아주 노골적으로 악마로 산다.

사람의 사랑은 천사의 가면을 쓰고
천사의 말을 하며 와서는
들통이 나면 악마만 남는다.

사람의 사랑은 천사로 와서
악마로 변하여 원래 악마였음을 말한다.
그 악마와 함께 서로 사는 것이
사람의 사랑이다.

44. 탓하다가 다 갔다.

아무도 내 마음을 모르리
이 속을 어찌 알랴, 하다가
세월이 다 갔다.

나도 내 마음을 모르는 줄 모르다가
이 속은 나도 모름을 모르다가
사람만 미워하다는
세월만 탓하다가
다 가고 나만 남았네.

이렇게 가는 것을 모른다고
나도 이렇게 될 줄을 몰랐으면서
그랬구나, 한다.

이 속을
저 사람의 속도
나도 모르고 저도 모르고
인생을 조성하신 하나님만이
아신다는 것을 모르고서는 그랬다.

45. 결혼할 시기

너 없으면 못 산다고 할 때
사람이 만나서 그 말에 홀리면
정말 못 살 일만 일어나게 된다.

서로가 너의 것을 뺏고 뺏어
뺏기만 하는 삶이 될 것이니
서로는 점점 기근에 시달리다가
서로를 죽이게 되어질 뿐이다.

결혼은 이런 사람과 할 게 아니고
결혼은 그런 상태인 나일 때는 참고
나 혼자서도 넘쳐서
너에게 줄 수 있겠다 싶은 때가
가장 적절한 시기이다 싶다.

46. 마음이 가면 나는

마음이 가면 나는 간 것.
마음이 오면 나는 온 것.
사람이 다 오려면 마음이 와야 하고
다 가려면 마음이 가야 한다.

몸이 여기라도 마음이 거기이면
가만히 있었지만 나는 간 것.
나는 아니라고 변명하겠지만
너는 정녕 간 것이다.

빈 껍데기가 너가 아니라고
사람들이 다 알고서 말하는데
껍데기를 손으로 비벼보며 아닌 척 묻는데
가버린 마음이 거기서 완전 범죄를 꿈꾸니
내가 더 배신감에 떠는 것이지.

47. 분노는 잠들지 않는다.

사람의 마음에 분노는 잠들지 않는다.
내가 살아 있는 한
그 폭풍의 질주는 나를 어두움에 던지고
다른 사람은 또 어디 있나
날마다 길을 떠난다.

내가 죽지 않는 한 분노는
나와 동거하며 처음의 의도와는 다르게
너의 불의와 나의 의를 주장하다가
둘 다 어두움 중에 던져서
진흙탕 싸움 속에서 죽게 하려고만 한다.

그리고 그 죽은 마음을 데리고 다니며
다른 또 하나의 마음에 잠자는 분노를 일으킨다.
그도 나와 같이 죽은 마음이 되기까지
사람의 마음에 분노는 눈을 뜨고 시퍼렇게 살아 있다.

48. 마음 앞에 서서

굳게 닫힌 문
하나님 외에는 아무도 열 수 없는 문
그 문 앞

마음 앞에 서서 사람이
자기의 마음으로 보아 달라 하지만
서로가 닫혀진 문으로 서서 그런다.

세상에서 가장 강하게
아무도 못 들어가게 높고 두껍게 성벽을 쌓고는
불에도 녹지 않는 놋 문으로
하나님만 가진 열쇠의 자물통으로 있는

마음 앞에 서서 사람이
서로가 나를 받아 달라고 하지만
서로의 말이 들리지 않아 오해를 한다.

49. 진짜 사랑하면

진짜 사랑하면 다 한다.
사랑하지 않으니까 게으르지

시켜 주기만 기다리는
목이 빠져라고 사모하는데
그 부름에 무슨 게으름이 끼어들까.

사랑이 아니라 아쉬웠음이니까 게으르지
아쉽지 않아졌으니 게으르지

진짜 사랑하면 다 믿고
부르지 않아도 부른 것처럼 가고
왕명으로 내린 조서를 본 것처럼 다 한다.

사랑해서 속이 타는데
사랑하는 자의 목소리에 자는 척하는
듣는 귀가 있을까.

목이 타는 사랑하는 자에게
게으르다 소리를 듣는 자는 없다.
미리 다 해 놓고 기다릴지언정.

50. 지나친 자기 사랑의 죄

나는 나를 사랑한 나머지
남을 더 많이 사랑할 공간을 잃는다.

나는 나를 너무 사랑한
지나진 과욕 때문에
남의 것을 뺏는 해치는 일을 하고

나는 누구이고
남은 누구인데
서로에게는 서로가 나이고 남인데

나는 나를 사랑한 죄로
그 사람에게는 남인 나를 미워하게 한다.
그에게도 그를 사랑한 나머지
남을 더 많이 사랑할 공간을 잃게 하고

나는 나를 너무 사랑한 죄로
그에게도 탐욕을 주어서
남인 나를 삼키려는 계획을 짜게 하여
그로 하여금 그도 나도 해치는 자가 되게 한다.

51. 혼자 있을 때

혼자는 외롭다고
둘이 있자 했지만

나 하나였을 때보다
누군가 곁에 있다는 게
더 아프고 외롭게 하네.

혼자 있을 때는
그냥 외롭기만 하더니
둘이니 그 외로움에 상처까지 더해졌다.

사람이 많을수록 더 외로워져서
그 많은 사람 다 모르게
혼자 고독하다가 죽는 자가 많으니
혼자가 더 외롭지 않은 것이네.
혼자가 더 상처가 없는 단순한 외로움이네.

가장 외롭지 않은 때는 혼자 있을 때
가장 상처 나지 않는 때도 혼자 있을 때
그러나 가장 절대적인 줄 알고 살 위험에 빠지겠지.

52. 눈을 뜨면, 그랬으면

눈을 뜨면
내 처지가 아니었으면 좋겠고

눈을 뜨면
딴 세상에 내가 있었으면

눈을 뜨면
예전의 내 모습이었으면

눈을 감았다 뜨면
그 감은 시간
내가 잠이라는 이름으로
살았으나 죽은 자처럼 기억을 못 하는 시간
그때에 모든 것이 바뀌어져
꿈이 현실이 되어졌으면 좋겠는 사람들이 있다.

눈을 뜨면
그랬으면 좋겠어라고
그 마음에 간절함을 안고 자는 사람들이

눈을 뜨면

내게 그런 일이 일어났으면 좋겠는
그런 기도를 손에 쥐고 오늘을 사는 사람들이 있다.

53. 없는 사랑을 하자.

세상에 평화가 없으니
평화하자고 하는 것처럼
세상에 사랑이 없으니
서로 사랑하자고 한다.

평화만 있는 세상에서
사랑만 있는 세상에서는
그 말이 무슨 말인지 이해할 수 없는
암호와 같은 것이겠지.

그게 무슨 말이야,
원래 사람은 이렇게 사는 거야.
왜 평화하자고 하고
왜 사랑하자, 하냐 할 것이다.
그 자체가 삶인데 무슨 말인가.
새로운 외계인의 언어인가, 할 것이라서지.

54. 진정한 사랑은 끝까지

진정한 사랑은 놓는 것이 아니다.
놓는 것이 진정한 사랑이라는 말은
네 탐욕을 놓고 진정한 사랑을 하라는 말.

진정한 사랑은 끝까지
내 목숨을 걸고 지키는 것이다.
하나님이 십자가에서 예수 그리스도
자기에게 가장 값진 것,
하나님의 모든 것을 주고 그 사랑을 선포하시고
사랑하는 자들을 영원까지 구원하시기로
반드시 그 사랑을 지켜 내기로 하셨기 때문이다.

하나님은 그분이 사랑이라 하셨고
사랑의 실체이고 근본이므로 사랑은 어떤 것인가를
하나님의 십자가의 사랑에서 찾아야 한다.
사랑은 자기의 모든 것인 목숨을 주고
그 대상자를 구해서 내 것으로 소유하여
그 소유 안에서 자유케 하는 것이다.

55. 진정한 사랑이라면

탐욕이 아니라
진정한 사랑이라면
가도록 그냥 두지는 않는다.

그냥 두면 그 사랑은
다른 사랑을 찾아가서
그의 탐욕에 걸려 노예가 되기 때문이라서

하나님은 그래서 한번 사랑하시기로 한 사람은
도망가도 다시 가서 값을 주고
그 노예 됨으로부터 해방시키셨다.

하나님은 사람의 사랑이 세상의 사랑의
탐욕으로부터 온 것을 아시기에
그 사랑의 명목으로 탐욕을 채우려는
사람의 부패한 마음을 아시기에
가서 올무에 걸려 죽도록 버려 두지 않으신다.

사랑은 내 탐욕에도
남의 탐욕에도 걸려서
죽지 않도록 끝까지 붙잡아 주는 것이지.

사랑에 눈먼 자는 달콤한 말을 따라가서
불 구덩이에 빠져서 그게 사랑이라 말하기 때문이다.

　더 사랑한 사람이 더 아프다.

56. 내 아픔을 아신다는 말

고독한 너여,
외로운 너여,
내가 너를 다 안다.

그 힘듦을 내게로 가지고 와서
다 맡기고서 쉼을 얻으라.
내게로 와서 너의 괴로움을 말하라신다.

상처 난 너여,
밟히고 찢긴 너여,
내가 너를 다 안다.

그 아픔을 내가 다 당해 봐서 안다.
내게로 와서 기대어 하소연하며
혼내 주리라 말하며 울어도 괜찮다고

내 아픔을 어찌할까, 하는 너여,
이 당한 억울함을 어찌할까, 하는 너여,
말 한마디 변명도 못하고 당한 네 마음을
내가 땅에서 다 당하고 십자가에서 죽었지 않느냐.

그러니 내가 네 심정을 다 안다.
내게로 와서 내 이름을 부르며
예수여, 내 마음을 아시죠.
내 생각을 좀 해 주세요, 하며 울라고.

더 사랑한 사람이 더 아프다.

57. 강한 사랑

하나님의 사랑은
약속을 따라 찾아온 사랑
그래서 완전한 사랑
불완전함으로는 끊어낼 수 없는 강한 사랑.

사람의 사랑은 약속된 것을
이루기 위해서 찾아오는 사랑이 아니라
만나서 서로 좋으면 사랑하기로 약속하는 사랑
다시 싫어지면 그 약속을 깨뜨려 질겅질겅
유리 조각을 밟듯이 그렇게 무섭게 돌아서는 사랑.

하나님의 사랑은 약속을 지키기 위해서
그분이 일방적으로 한 그 약속을 자신에게
지키기 위해 나를 찾아온 사랑이라서
내가 좋든 싫든 조건에 관계없이 사랑하기로 한
그 약속을 충실히 이행해 가시는 그런 불변의 사랑.

십자가의 사랑은 그리스도 예수의 죽음
하나님의 사랑은 거기서 나를 향해
내가 그렇게 죽어서 그 약속을 지켜 내겠다는
그런 변질될 수 없는 사랑.

58. 왕이 시작한 사랑

하나님의 사랑은 하나님으로서는
슬프고 고독한 사랑이고
나에게 있어서는 횡재를 만난 사랑이다.

아무 일도 한 게 없는데
자고 일어나서 하나님의 자식이라,
너는 왕의 아들이라는 말.

하나님의 사랑은 짝사랑으로 시작되었다.
그가 있는 줄도 모르는 인간을
혼자서 다 감내하고 저들을 사랑하리라,
내가 내 목숨을 걸고 그리하리라, 한 것에서
시작되어진 지독한 짝사랑으로 출발하였다.

싫다고 떠나는 내 마음을 붙잡느라
가슴이 다 타서 재가 되는 사랑.
다시 찾아 데려다 놓으시고 또 문을 열어 놓고
돌아오기까지 혼자서 너무나 사랑하여서 애가 터지며
기다리는 사랑이 하나님의 나를 향한 사랑.

자기가 시작한 사랑이라서

자기가 끝내야만 끝나지는 사랑.
하나님의 사랑은 끝까지 설득하여
그게 무슨 사랑인지 알게 하여 이제는 스스로
되돌아가지 못하게 하는 그런 삶이 되게 하는 사랑.

그 모든 슬픔과
그 모든 고독과
그 모든 상처를 알게 되어서
그 쏟으신 사랑에 감사하다는 그 말
그 한마디가 듣고 싶어서 하는 사랑.
그 앞에 와서 엎드러져 못 일어나는
눈물을 보이는 그 모습이 보고 싶어서 그러는 사랑.

자기 것을 다 주기로 하고
아무것도 줄 것 없는 가난한 인생을
병들어서 다 싫다고 버려져서
아무 곳으로도 갈 곳이 없는 인생을 이렇게
애타게 기다려 부르시며 오라, 오라, 했음을 알 때까지
그리고 영원까지 너를 지시겠다는 약속이 있는 사랑.

내게 하나님의 이런 사랑은 횡재한 사랑이요,
내가 섬기는 게 아니라 그분이 나를 섬겨 주는 사랑.
그것도 영원까지 그렇게 하시겠다는 언약의 사랑이다.

59. 사랑이 지친다.

자기 좋을 대로
떠났다가 또 좋을 대로 돌아오는
사랑에 사랑은 지친다.

좋을 때는 떠나
깨어지고 상처 나서는 와서
기대고 싶다고 눈물로 호소하고
그러고는 살만하면 또 가버리는
그 사랑에 사랑은 지친다.

사람은 사랑한다면서
그 이유 하나만으로 사람은
그 사람이 자기를 놓지 못하고
사랑할 수밖에 없다는 그 마음까지 이용만 하는
사랑이기에 사랑이 울고 사랑이 지친다.

사랑하기로 약속한 그 꼬투리를 잡고서
하나님의 나를 향한 그 사랑에도
내가 이러고 사는 것이지.
사랑한다는 약점을 이용한 기만적 사랑
속여서 얻어 내려는 나의 사랑이지.

60. 너 없이도 사람은 산다.

당신 없이는 못 산다고
그 말에 속고 속아서 살고 산다.
그런데 당신이 없어서 못 산 사람이 있는가.
그 말은 당신 없어도 나는 잘 살 수 있다는
엄격히 말하면 그런 말로 뒤집을 수도 있는 것.

혼자서 나서
그 사람이 존재하는지도 모르며
산 세월이 얼마인데 그러겠는가.
당신이 없으면 사는 게 조금은 불편하고
내게 남겨진 짐이 많아서
혼자 지고 가다가는 죽을 것 같다는 것이겠지.

사람은 당신 없이도 잘 살았고
앞으로도 잘 살 것이다.
기억하다가 잊다가 그러면서
옛말을 하는 그날까지 견디며 살아낼 것이지.

생명은 당신 한 사람 없어서
못 살고 죽도록 연약한 게 아니라
사람이 아니라 하나님이 없어야 못 사는 생명

그런 영원히 살고자 하는 욕망으로 창조되어졌기에
인생의 중간에 만난 당신 한 사람이 없다고
내 생명이 못 사는 것으로 되지는 않는다.

내가 당신을 너무 많이 의지해서
갑자기 없어지고 홀로 있게 될 것이
두려워서 하는 말이지.
그래서 또 다른 사람을 찾게 되는 것이고

당신 없이는 당분간은 고통이요,
내가 내 자신에게 후회가 되는 일
어떻게 먹고살까, 하는 두려움이 마음으로 쑥 들어와서
내게 공포를 주고, 그럴 것이 미리 생각이 되어서
당신 없이 나는 할 줄 아는 게 없다.
못 살 것 같다고 말하는 것이지.

사람은 당신 한 사람 없다고
못 살고, 살고 하는 그런 존재가 아니라
부모가 없는 버려진 아이도 살아서
성장해 가는 것을 보면 안다.

사람은 당신 한 사람이 아니라
하나님 한 분이 없어서 못 살게 된다는
창조주에게 해야 될 고백을 창조물에게 거꾸로 하는
사람은 하나님 없이 혼자는 못 사는 존재의 자백이다.

사람은 당신의 돌봄이 아니라
하나님의 공급과 돌보심이 끊어져서
못 살게 되어지는 것.

당신 없이 못 산다는 것은
혼자 남겨지기 싫은 것이고
내가 세상에서 할 줄 아는 게 없어
먹고살 방도가 없다는 솔직한 고백이요,

내가 혼자 지고 가기에는
능력에 비해 너무 무겁다는 것이요,
그래서 의지할 당신이 내게는 꼭 필요하다
호소하는 것이 당신 없이는 나는 못 산다는
스스로 나는 이렇게 약한데
나보고 어찌하라는 것입니까의 진실이다.

있다가 완전히 없어진다는 것에
익숙하지 않은 나에게 그 사람의 떠남과 죽음이
사람은 너무나 두려운 것.
생각하고 싶지 않은 것.
혼자서 버텨 낼 수는 있지만.

61. 그분의 사랑만이

가서 무슨 짓을 하고 돌아와도
사랑한다고 말할 연인의 사랑은 없다.

반복되는 그런 일에도
그래도 나는 변치 않는다고 말할
그런 연인의 가슴은 없다.

그런 나를 받아 줄 사랑은 하나님밖에는
그런 부정한 나를 변치 않았다고 말하며
어서 오라 할 가슴은 하나님 품밖에는 갈 곳을 잃는다.

예수 그리스도는 네 신랑이요,
너는 그가 십자가에서 값 주고 산
그의 신부라고 말씀하신 그분의 사랑만이
그 가슴만이 그런 너의 행실을 받아서
고칠 수 있기 때문인 까닭.

그만이 너를 다시 새것으로 고쳐
그의 신부로 되돌릴 수 있는 능력이라서.

62. 이유 없는 떠남은 없다.

사람만 얼굴을 돌리고
네가 보기 싫다
떠날 줄 아는 게 아니다.

하나님도 우리에게 그러신다.
사람이 사람을 떠나면 상처만 조금 남겠지만
하나님이 사람을 떠나면 치명상이 아니라
그 즉시 죽음인 일

그것은 이미 사형선고 내려진 움직일 수 없는 판결
빛을 잃은 빈집이 되는 일
유령만 사는 집으로 내가
귀신만 사는 집으로 변해 버리는 비극적 사건.

사람만 이유가 있어서 떠나는 게 아니라
하나님도 까닭이 있으셔서 떠나는 것이지.
그러나 사람이 떠났어도 하나님이 떠나지 않았으면
그것은 떠남이 성립되지 않는다.
그러나 하나님이 떠났으면 사람이 떠나지 않았어도
그것은 떠남이 성립되는 것의 법칙.

떠난다는 것은 다 이유가 있다.
까닭 없는 죽음이 없듯
떠나는 자에게는 진실이든 거짓이든 다 할 말은 있는 법.

더 사랑한 사람이 더 아프다.

63. 사랑과 미움이란

나는 사랑이라고 말하지만
네가 미움이라고 말하면
내 사랑은 사랑이 되지 않는다.
나의 탐욕이 된다.

나는 사랑이라고 말하지만
네가 싫다고 말하면
내 사랑은 너에게는 가지 못하지만
내 안에서 그리움이 된다.

사랑은 내 안의 탐욕에서 온 것이 아니면
내 사랑은 미움을 받아도
싫다고 도망을 가도 사랑이 된다.
괴로움을 주지 않는 기다리는 사랑이 된다.
붙이지 못한 편지와 같이

64. 발자국 없는 사람은 없다.

사람이 세상에 와서는
그냥 가지는 않는다.
올 때부터 갈 때까지
살아보겠다고 한바탕 뒤집어엎고
난리 난리를 쳐 놓고 가게 된다.

사랑한다고 사람이 나에게 와서도
그냥 조용히 가지를 않고
이제는 미워한다, 하며 그 마음을 숨기고 싶어서
누구는 사랑하기에 가겠다, 비틀어 돌려서
그러고 한바탕 난리를 쳐 놓고 간다.

사람은 오고 가는 것이
그냥 아무 일도 없이
조용히 와서 가는 법이 없지.
한바탕 들쑤시고 왔다 가는 본성이 있다.

그냥 떠나가라고 말하는 것은
그냥 떠나지 않기 때문에 그런 것.
속을 뒤집고 죽이네 살리네 하며
갈 것을 알기에 미리 두려움을 말하는 것이다.

저 인간이 그리할 수 없는 줄을 알기에
미리 내 마음에 준비를 시켜 두는 것이다.

65. 돌이킬 수 없는 선택

그 사람이 내게로 올 때에
술에 취한 것처럼
갈지라도 오는 것을 알았더라면
취했다 취했다고
제정신이 아닌 인간이라
붙잡히기 전에 엿보고 도망쳤을 텐데

내 눈이 그 사람은
반듯한 곧은 길
노란 중앙선을 따라서 오는
굽은 것이 하나 없는 사람인 줄로만 알고
그의 내미는 손을 덥석 잡았더니만

그게 화근이 되었다
그게 내 인생 고생의 시작이 되었다.
돌이킬 수 없는 일이 되어
다시 혼자가 되어서 자식을 등에 지고
그 짐을 제자리에 내려놓기까지
눈물도 못 흘리고 살다가
지금 생각하니, 내 인생이 불쌍해서 눈물이 난다.

66. 사랑은 죽음이라네

사랑은 죽음이네.
죽고 나서 아는 것이 사랑이라네.
사랑은 사는 것이라 붙들었다가
사랑은 죽는 것이구나, 하고 알게 되는 것.

먼저 죽고서 사는 것이
진정한 사랑의 알맹이라고
껍질이 까져야 사탕이 나온다고
과일도 껍질을 벗겨야 속살이 나온다고

사랑은 먼저 죽고서 오는
그 부활이 사랑의 본질이라네.
그리스도 예수는 십자가에 죽어서 다시 사는 부활로
그렇다고 사랑의 의미와 정의와 그 가치를 말씀하였네.

사랑은 죽음이라네.
그 거름 위에서 다시 피어나는 꽃 같은 것이라네.
사랑은 내가 죽고 나서 그 사람이 아는 것.
그 사람이 죽고 나서 내게 알게 하는 것이라네.

67. 연인처럼만 사랑하여도

사람이 연인을 사랑하는 것만큼
그 열정으로 하나님을 사랑할 수 있다면
그 목숨도 다 줄 것처럼
그렇게 뜨겁게 매달리며 끌려갈 텐데

단물을 다 빼먹고 씹다가 지쳐서
이제는 이만 아프고, 입만 아프고
달지도 않다고 뱉어내는 바닥에 떨어지는 껌처럼
그렇게 발로 비벼서 밟고 가버리는
그 마음으로 사랑을 한다고 들락거리니
하나님은 그분의 집에서 서러움을 당하신다.

연인을 사랑하는 남녀처럼
그런 사랑을 하고 싶은 하나님에게
사람을 향하는 그 마음을 돌리고 싶은데
사람은 왜 우리의 마음을 당신에게 주겠냐,
우리는 우리끼리 사랑하다 죽을 것이라
머리털이 파뿌리 되도록까지 그리하리라.

당신은 십자가에서 우리를 위해
당신 목숨을 다 줬다고 너도 그러라 하시는데

나는 한번 주면 죽을 것이라 못 주겠단다.
연인에게도 줄 것처럼 하는 것이지
어디 준 사람이 있느냐고,

사람이 그래도 여인을 사랑하는 것처럼
그 목숨은 못 주어도 자기 목숨이라도
다 줄 것처럼만이라도 하나님을 사랑해 주기를
십자가에서 기다리시는데 나는 목이 아파서
거기까지는 못 올려다보겠다 한다.

땅에도 많은데
어떻게 거기까지 쳐다보라냐고
왜 우리를 힘들게 하느냐,
그 사랑의 구걸을 거절하며
자기들끼리만 서로 사랑하자고 따라다닌다.

사람이 연인을 사랑하기 시작한
그 첫 시작점처럼만 식지 않고 하나님을
사랑할 수 있다면 세상이 지금처럼
이 정도로 비극적인 일, 그 속에서 터져 나오는
절망을 듣고 살지는 않을 텐데

사람이 사람을 사랑하는 것만큼도
내가 나를 사랑하는 것만큼도
하나님을 사랑할 수 없어서 그런다.

68. 사랑받고 싶은 것은

사랑받고 싶은 것은
그래야 또 누구를 사랑할 수 있기 때문이다.
사랑받은 경험으로
사랑할 수 있는 사람이 되고 싶어서
나를 사랑해 달라고 말하는 것이다.

사람이 사랑할 수 없다는 것을
사랑을 받아야 그 사랑으로 나눌 수 있는 것이
사람이라는 것을 본능적으로 알기에
자기 속에 있는 것은 이름만 있는
사랑의 깡통이라는 것을 알기에 그러는 것이다.

하나님은 사랑의 근원이요, 그 본체이기에
그분이 우리를 먼저 사랑해야 그 채워 주는
사랑을 가지고 사랑할 수 있는 사람이 될 수 있기에
우리는 사랑받고 싶은 것이다.
사람은 누구나 본능적으로 사랑을 갈구하는 것이다.

사랑받고 싶은 것은
내 안에 하나님의 사랑이 없어서
깡통만 있는 사랑이라서

내 빈 그릇을 채우기 위해서 그러는 것이다.
그래서 사랑할 수 있는 그들이 되기 위해서

깡통으로 굴러다니는
소리만 요란한 사랑 없는 사랑을 끝내고
속을 들여다보면 전쟁 같은 싸움만 있는
그 가혹한 승산 없는 사랑을 끝내고 싶어서
사람은 사랑받고 싶은 것인데

사람이 그 사랑을 사람에게로부터 받아
채워야 된다고 잘못 판단한 데서
많은 충돌로 부스러기들이 떨어져 밟히고
세상은 사랑하는 사람들끼리
그 사랑이라는 빌미로 시끄럽다.

사랑받고 싶다고 하나님께 말할 것을 가지고
깡통을 차고 있는 사람에게 가서 하니
그도 줄 수 없어서 거짓으로 그러겠다 한 것을
자기도 알지 못하는 말을 하는 것을
사랑할 수 없는 자임을 모르고 그때는 진정으로 하는 것이다.

사랑받고 싶은 것은
그래야 사랑하며 살 수 있기에
누구나 사랑받기를 꿈꾸며 산다.

69. 사랑하자 한 결말

내 마음을 조금씩 허용해서
둘이서 공감하자고 한 약속인
그 사랑도 못 지켜서 헤어진다.

조금씩만 서로 양보하자는
완전히 떼어서 서로 주고받는
그런 약속도 아니었는데
그 빌려주는 것도 못 하겠어서
이제는 네가 싫어졌으니 나가라는

아무것도 준 것 없으면서
빼앗긴 것도 알고 보면 없으면서
손해만 났다고 억울해한다.

이게 내가 말한 사랑이었다고
그게 네가 말한 사랑이었냐는
그러면서 더러운 사랑이었다
서로에게 침을 뱉으며 모욕하고 떠난다.

우리가 조금씩 내놓아
허용해서 지키자고 한 공간을

다시 원위치시키는 헤어짐
이것이 사랑했었다는 그것의 끝이라는가.

70. 목숨 주지 않은 사랑

목숨 주지 않은 사랑을
나는 사랑이라고 말하고
예수 그리스도는 목숨 중
나의 사랑이 십자가라고 말씀하시고

그러나 사람인 나는
목숨을 주지 않겠다는 사랑
너를 사랑하지만 목숨만은 안 된다 하는
그 사랑에 열광을 한다.

그러고는 운다.
내가 죽어가는데 네가 내게
그 목숨 안 주고 아꼈다니
완전히 죽으라는 것도 아닌데
잠깐 빌려만 달라는 데도 거절했다고

목숨을 걸고 그 생명을 담보로 하지 않은 사랑
내 목숨이 위태로울 때에 살려낼
아무런 힘도 없는 무능력한 사랑을

71. 다시는 사랑하지 않으리라 하면

여기서 나는
다시는 사랑하지 않으리라 하니
거기는 지옥뿐인데

여기서 나는
다시 누구를 사랑하지 않으리라
사랑한다고 말해도 모두 잘라내리라
지옥에는 사랑한다 말하는 자가 없는데
아무도 여기서 사랑할 수 없으면
사랑하는 자가 아무도 없는 지옥에 있는 것이네.

나는 여기에 있고
다시 그런 사랑만은 하지 않으리라는
지키지 못할 말뿐이다.

여기는 너를 사랑한다고 말해서
지옥에 보내고 싶은 존재들이 많기 때문에
아무도 사랑할 수 없는 내가 되려면
내가 지옥에 있어야 함은
거기는 사랑이 없기 때문이다.

72. 떠나는 것은

떠나는 것은
너를 위해서가 아니라
자기를 위해서라서 못 붙잡는다.

떠나는 것을
잡아서 가지 않을 사람은
그 있기로 한 그것도 자기를 위한 것이라서
가라고 해도 처음 떠나려 했던 때와 같이
다시 머뭇거리며 잡아주기를 바라고 있다.

떠나는 것은
네가 아니라
나를 위해서 가는 것이라서
네가 울며붙며 잡는다 그래서 그가
눌러앉았다고 그 마음이 내게로 온 것은 아니다.

떠나는 것은 나 때문이지
너 때문이 아니다.
말은 너 때문에 내가 갈 수밖에는 없다지만
진실은 다 자기를 위해서 갈 뿐이지.

73. 너를 기억하는 것조차 쓴 괴로움

한동안 너를 본다는 것이 즐거움이더니
금세 지옥으로 변하여
한동안 너를 기억하는 것조차
인생의 쓴 괴로움이 되더라.

사랑은 그런 것이고
사람도 그런 것이고
인생은 쉽게 그렇게 남게 되더라.

한동안 세상의 모든 괴로운 맛이
밥이 된 것처럼
그렇게 쓴 언덕을 넘고 있었지.

가도 가도 언덕
쓴 갈증이 단맛을 찾아 떠나는
외로운 혼자 걷는 길에서
아무도 만나지 못했다.

만나지 못한 것이
더 쓰디쓴 약이 되고서
돌아오는 멈춘 그 길의 언덕 밑에서

무릎을 구부리고 앉아서 생각에 졸고
그 졸음 끝에서 눈을 떴지.

하나님에게 다시 가야겠다.
예수님에게 가라고 한 그 말씀 앞으로
가고 가기만 해야겠다고 했지.
그래서 쓴 눈물로 단 눈물을 그리며
다른 언덕을 또 오르기 시작했다.

74. 서로가 안 만났으면

너를 내가 안 만났으면
나는 달라졌을까.
그럴까.

너도 나를 안 만났으면
너도 달라졌을까.
그럴까.

그러면, 그런 생각이 오면
네가 덜 미워지더라.
나도 위로가 되더라.

왜 내게 그랬냐고
그러고 너를 기억하면
처절히 아파져서 돌려 말하면
내가 좀 나아지더라, 너도 덜 밉고

너도 나를 안 만났으면
괜찮다는 사람으로 기억되는
그 사람들 중 하나였을 것이다.

그렇게 말하면
네가 덜 미워져서 하루가 좋았다.
반쯤 너를 놓으니 가벼웠지.

그러면 그랬지.
사는 게 별것 아닌데
그럴 필요가 뭐 있어, 나만 손해지
그랬다, 또 그랬다, 그러고만 있었다.

75. 억울하잖아, 그러면

잊어서 잃어버리자.
그 사람을 그렇게 하자.
네가 아니라 나를 위해서 그러자.

왜 내가 그래야 되느냐고
너만 좋게 왜 내가 그러냐고
그렇게 말해서 내가 괴롭지 말자.

잊어서 잃어버리기로 하자.
먼 기억 속의 일이 되게 하자.
나 때문에 그 방법을 택하기로 그러자.

억울하잖아, 그러면
그렇게 말해서 내게 다시
기억되고 싶지 않은 일로 아프게 하지 말자.

그러자.
잊어서 잃어버린 그 사람으로
먼 내 기억에 묻자.
무덤에 자주 가는 일이 없듯이
어쩌다 인생길에서 마주치는 사람으로

남아 있는 무덤같이 여기자.

억울하지, 지금은 그러지.
먼 기억에서도 그럴 것이다.
경험으로 겪었다는 것은 그런 것이다.

잊어서 잃어버리며 살자.
그 사람과 그 아픔을 그렇게 하자.
네가 아니라 나를 위해서 놓아 버리자.
흐르는 시간이 물 위로 가라 그러자.

글을 마치면서

이 책을 선택하셔서 읽어 주신 독자분들에게 감사드립니다. 기대를 가지고 설렘으로 구입하신 책이었는데 실망이 되지 않은 책이었다고 말씀하실 수 있었으면 좋겠습니다. 그리고 어떤 모양으로든지 도움이 된 글이었다고 마음이 말할 수 있는 평가를 받았으면 좋겠습니다. 독자 여러분의 인생 내내 하나님의 보호하심이 함께하시기를 바랍니다.

저자 문영순